헬라어 쓰기성경

Πρός Κολοσσαεις

- 골로새서 -

언약성경연구소

케타브 프로젝트: 헬라어 쓰기성경 – 골로새서

발 행 | 2024년 2월 15일
저 자 | 이학재
발행인 | 최현기
편집 · 디자인 | 허동보

등록번호 | 제399-2010-000013호
발행처 | 홀리북클럽
주 소 | 경기도 남양주시 진접읍 내각2로12 (070-4126-3496)

ISBN | 979-11-6107-052-0
가 격 | 10,900원

© 언약성경협회 2024
본 책은 저작권법에 의거 무단 전제와 복제를 금합니다.

 Project

헬라어쓰기성경

Πρός Κολοσσαεις

- 골로새서 -

영·한·그리스어
대역대조 쓰기성경

언약성경연구소

* 본 책에는맛싸성경(한글), 개역한글(한글), Westcott-Hort Greek NT(헬라어), NET(영어) 성경 역본이 사용되었으며,
KoPub 바탕체, KoPub 돋움체, Noto Serif Display, 세방체 폰트가 사용되었습니다.
헬라어 알파벳표와 모음표는 『왕초보 헬라어 펜습자』(허동보 저) 저자의 동의를 받고 첨부하였습니다.
맛싸성경3은 저자 이학재 교수가 원문성경에서 직접 번역한 번역물로 번역 저작물이 저작권협회에 접수된 개인번역입니다.

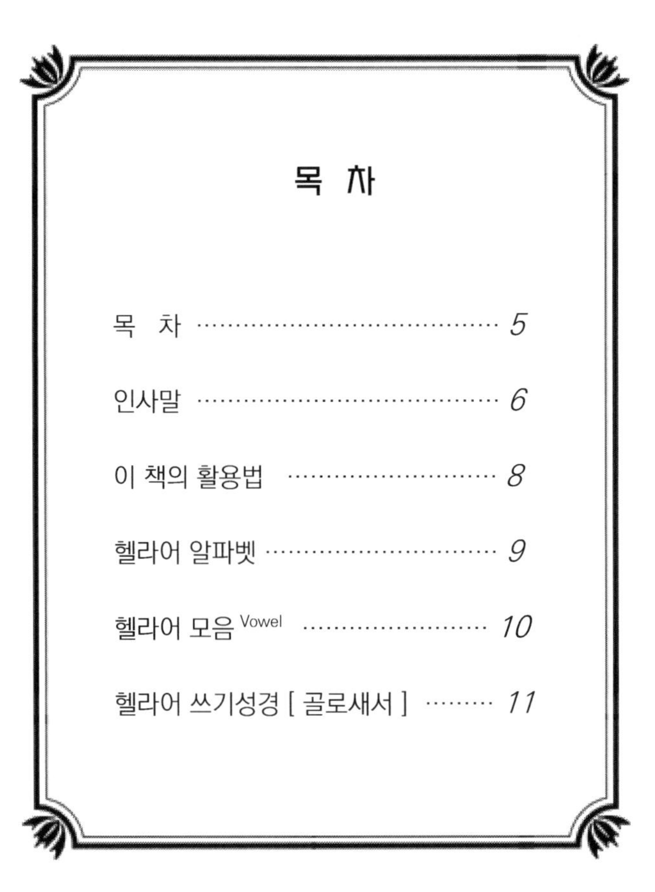

목 차

골로새서는 사도 바울이 쓴 것으로 알려진 편지 중 하나로 현대 터키에 위치한 '골로새'라는 도시의 기독교 공동체를 대상으로 쓴 편지입니다. 이 편지는 골로새 교회 내의 특정한 신학적, 실천적 문제를 다루는 데 초점을 맞추고 있습니다. 전반적으로 골로새서는 신자의 삶에서 그리스도의 중심성을 강조하고, 거짓 가르침에 대해 경고하며, 일상 생활에서 기독교 신앙을 실천하기 위한 실질적인 지침을 제공합니다. 이는 복음의 진리를 굳게 붙잡고 더 깊은 진리를 통해 영적으로 성숙해지는 것의 중요성을 강조합니다.

이학재 Lee Hakjae · Covenant University 부총장
· 월간 맛싸 대표 · 맛싸성경 번역자 · 언약성경협회장

성경은 말씀으로 읽고 소리내서 낭독하는 훈련이 필요하다. 또한 성경은 precept, 즉 글로 적은 글이다. 십계명도 하나님께서 적어 주신 것이고 구약성경, 신약성경 모두다 사람들이 손으로 필사하여 전해온 것이다. 특히 시편에서는 하나님의 말씀을 '호크'[규례, 교훈]라고 부르는데 이것은 '하카크' 즉 '새기다, 기록하다'는 의미이다. 성경은 1455년에 라틴어를 출간하기까지 구약은 서기관들에 의해서 두루마리에 필사를 통해서 기록되었고 신약 역시 대문자, 소문자 등을 통해서 손으로 직접 적었다.

이같은 성경은 소리내 읽는 '낭독'과 글로 적는 '호크'[precept]로 기록된 말씀이다. 물론 타자를 치는 필사를 비롯하여 다양한 방법이 있지만, 특히 AI 시대에는 주관성과 개인의 특성을 가진 영성이 품어 나오는 적기 성경 즉 '필사 성경'이 필요하다. 시중에 한글 필사성경, 영어 등은 이미 출판되어 있지만 원문 필사는 아직 나오지 않았다. 원문 필사를 위해서는 원문만 넣을 것이 아니라 한글의 공적성경[개역, 개역개정]과 또한 사역이지만 원문에서 번역한 것이 필요한데 이런 면에서 '맛싸 성경'은 중요한 역할을 할 것이다. 아울러 영역본도 함께 제공되어 원문과 함께 번역본들을 보게 되고 자신의 필사 성경도 각권으로 남게 될 것이다.

성경을 적는다는 것은 참으로 중요하다. 기도하면서 성경에서도 달려가면서도 성경을 읽게 하라는 말씀은 성경에도 기록되어 있다[하박국 2장]. 많은 사람들이 성경을 덮어두거나, '말아 놓았다'. 이제는 적어서 펼쳐 놓아야 한다. 이런 면에서 족자, 액자들 성경 원문 쓰기를 통해서 원문을 보고 묵상하고 더욱 말씀을 가시적으로 보며 그 말씀의 생명력을 가지는 삶을 살아야 할 것이다. 이 모든 것이 '적는 것'[כתב 케타브]에서 시작된다. 이 시리즈는 구약 전권 신약 전권의 '쓰기', '적기'를 출간하는 것으로 생각하고 있다. 매일 일정한 양을 쓰면서 원문을 자유롭게 이해하고 원문의 바른 의미, 성경의 의미를 바르게 이해해서 말씀에 근거를 둔 그러한 건강한 말씀 중심의 삶을 살아가시기를 소원한다.

저자 이 학 재

허동보 Huh Dongbo · 수현교회 담임목사 · Covenant University 통합과정 중
· 왕초보 히브리어/헬라어 펜습자 저자

교회 역사는 대부분 이단으로부터 교회를 보호하는 역사였습니다. 사도들과 교부들의 가르침, 공의회를 통한 결정들은 우리 신앙의 선배들이 이단으로부터 교회를 지키고자 목숨까지 걸었던 몸부림이라고 해도 과언이 아닙니다. 그 신념, 그 몸부림의 근거는 바로 성경이었습니다. 하나님의 말씀이자 우리 신앙생활의 원천인 성경은 수천년이 지난 이 시대를 살아가는 우리가 쉽게 읽을 수 있도록 전문가들을 통해 비교적 잘 번역되어 있습니다. 그럼에도 불구하고 말씀을 사랑하고 매일 묵상하는 우리 그리스도인들이 히브리어와 헬라어를 배워야 하는 까닭은 무엇일까요?

첫째로 지금도 교회를 노리고 핍박하는 이들로부터 주님의 몸 된 교회를 지키기 위해서입니다. 아무리 번역이 잘 되었다고 하더라도 해당 언어가 가진 고유의 뉘앙스와 의미를 동일하게 전달하는 것은 불가능합니다. 따라서 우리는 원전을 살펴봄으로써 말씀에 대한 왜곡과 오해를 헤쳐 나가야 합니다. 둘째로 언어의 한계성 때문입니다. 성경이 쓰여진 시기의 사회적 배경과 문학적 장치들을 더 잘 전달받기 위해서 우리는 히브리어와 헬라어를 배워야 합니다. 우리는 해당 언어를 통해 한글성경에서 느끼기 힘든 시적 운율과 다양한 의미들을 더욱 세밀하게 들여다볼 수 있으며, 이 과정에서 더 큰 은혜를 느낄 수 있습니다. 셋째로 말씀을 사모하기 때문입니다. 다른 언어를 배운다는 것은 쉽지 않습니다. 그 어려움보다 말씀에 대한 사모가 더욱 간절하기에 우리는 기꺼이 시간과 노력을 할애할 수 있습니다. 이는 마치 해리포터를 사랑하는 사람이 영어를 배우고, 톨스토이를 사랑하는 사람이 러시아어를 배우는 것처럼 원전에 더 가까워지고자 하는 욕망은 말씀을 사모하는 이들이라면 거스를 수 없을 것입니다.

이런 관점에서 언약성경협회와 언약성경연구소의 사역은 하나님의 말씀을 열정적으로 소망하는 우리 그리스도인들에게 있어서 꼭 필요한, 그리고 꼭 이루어 나가야 할 사명이 아닌가 합니다. 이에 말씀을 사모하는 많은 분들이 케타브 프로젝트에 동참하길 소망합니다. 아울러 이학재 교수님을 통해 영광스럽게도 편집과 디자인으로 이 프로젝트에 동참하게 된 것에 대해 주님께 감사드립니다.

편집자

헬라어쓰기성경 활용법

이 책의 구조와 활용법에 대해 알려드립니다.

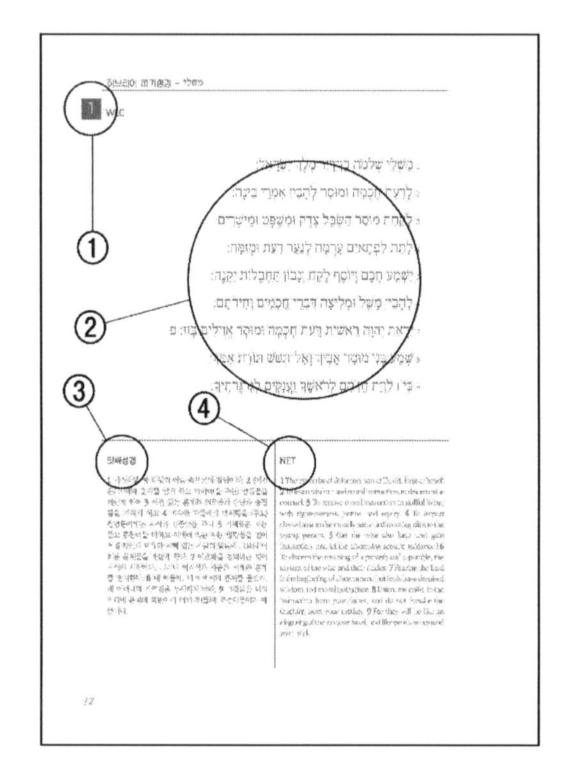

1. 왼쪽 페이지는 헬라어 성경인 Westcott-Hort Greek NT 와 더불어 맛싸성경과 함께 영문역본 NET2를 대조하였습니다.

   - 맛싸성경은 저자 이학재 박사가 원문성경에서 직접 번역한 번역물로 번역 저작물이 저작권협회에 접수된 개인 번역입니다.

2. 왼쪽 페이지 좌상단에 위치한 숫자는 각 장을 말합니다. 각 절은 본문에 포함되어 있습니다.

   ① 몇 장인지 나타냅니다.
   ② 헬라어 본문입니다.
   ③ 맛싸성경 본문입니다.
   ④ NET2 본문입니다.

3. 여백을 넉넉히 두어 필사와 함께 성경공부를 위한 노트로 사용할 수 있습니다.

* 헬라어쓰기성경을 통해 하나님의 은혜가 더욱 풍성하고 가득한 신앙의 여정이 되시길 소망합니다.

헬라어 알파벳

대문자	소문자	이 름	대문자	소문자	이 름
Α	α	알파	Ν	ν	뉘
Β	β	베타	Ξ	ξ	크시
Γ	γ	감마	Ο	ο	오미크론
Δ	δ	델타	Π	π	피
Ε	ε	엡실론	Ρ	ρ	로
Ζ	ζ	제타	Σ	σ / ς	시그마
Η	η	에타	Τ	τ	타우
Θ	θ	테타	Υ	υ	윕실론
Ι	ι	이오타	Φ	φ	퓌
Κ	κ	캅파	Χ	χ	키
Λ	λ	람다	Ψ	ψ	프시
Μ	μ	뮈	Ω	ω	오메가

헬라어 모음 vowel

계열 / 구분	[아] 계열	[에] 계열	[이] 계열	[오] 계열	[우] 계열
단모음	α	ε	ι	ο	υ
장모음	α	η	ι	ω	υ
ι 이오타 하기	ᾳ	ῃ		ῳ	
그 외 이중모음	αι αυ [아이] [아우]	ει ευ [에이] [유]		οι ου [오이] [우]	υι [위]

헬라어 모음은 위 표를 보면 알 수 있듯이 전혀 어려울 것이 없습니다. '아, 에, 이, 오, 우'만 잘 외우고 있으면 됩니다. 구체적인 발음은 『왕초보 헬라어 펜습자』(허동보 저) 제 2 장 헬라어 모음편을 참조하세요.

약숨표 smooth breathing	ἀ[아] ἐ[에] ἰ[이] ὀ[오] ὐ[우] ἠ[에] ὠ[오]
강숨표 rough breathing	ἁ[하] ἑ[헤] ἱ[히] ὁ[호] ὑ[후] ἡ[헤] ὡ[호]

■ 꼭 기억해야 하는 '숨표'breathings ʼ ʽ

헬라어 모음에서 정말 중요한 것 한 가지가 더 있습니다. 바로 숨표 breathings 입니다. 숨표에는 '강숨표'rough breathing 와 '약숨표'smooth breathing 가 있습니다. 일반적으로는 약숨표가 주로 사용되지만, 종종 강숨표가 붙은 단어들이 등장합니다. 약숨표가 붙은 단어는 원래 음가 그대로 읽어주면 되지만, 강숨표가 붙은 단어는 'ㅎ'[h] 발음을 넣어서 이름 그대로 '거칠게'rough 읽어줍니다. 이중모음에서 숨표는 뒷 글자에 붙으며, 약숨표와 강숨표는 같은 모양, 반대 방향입니다. 가령 '날'day 을 의미하는 *ἡμέρα* 라는 단어는 '에메라'가 아니라 '헤메라'로 읽습니다. 작은 따옴표처럼 생긴 저 숨표를 잘 체크해야 합니다.

Πρός Κολοσσαεις

-골로새서-

1 Westcott-Hort Greek NT

1 Παῦλος ἀπόστολος Χριστοῦ Ἰησοῦ διὰ θελήματος θεοῦ καὶ Τιμόθεος ὁ ἀδελφὸς.
2 τοῖς ἐν Κολοσσαῖς ἁγίοις καὶ πιστοῖς ἀδελφοῖς ἐν Χριστῷ, χάρις ὑμῖν καὶ εἰρήνη ἀπὸ θεοῦ πατρὸς ἡμῶν.

맛싸성경

1 하나님의 뜻을 통하여 그리스도 예수의 사도인 바울과 형제 디모데는 2 골로새에 있는 거룩한 자들과 그리스도 안에서 신실한 형제들에게 (편지한다). 은혜와 평안이 하나님 아버지와 주 예수 그리스도로부터 너희에게 있기를 원한다.

NET

1 From Paul, an apostle of Christ Jesus by the will of God, and Timothy our brother, **2** to the saints, the faithful brothers and sisters in Christ, at Colossae. Grace and peace to you from God our Father!

1 Westcott-Hort Greek NT

3 Εὐχαριστοῦμεν τῷ θεῷ πατρὶ τοῦ κυρίου ἡμῶν Ἰησοῦ [Χριστοῦ] πάντοτε περὶ ὑμῶν προσευχόμενοι,
4 ἀκούσαντες τὴν πίστιν ὑμῶν ἐν Χριστῷ Ἰησοῦ καὶ τὴν ἀγάπην [ἣν ἔχετε] εἰς πάντας τοὺς ἁγίους.
5 διὰ τὴν ἐλπίδα τὴν ἀποκειμένην ὑμῖν ἐν τοῖς οὐρανοῖς, ἣν προηκούσατε ἐν τῷ λόγῳ τῆς ἀληθείας τοῦ εὐαγγελίου.
6 τοῦ παρόντος εἰς ὑμᾶς καθὼς καὶ ἐν παντὶ τῷ κόσμῳ ἐστὶν καρποφορούμενον καὶ αὐξανόμενον καθὼς καὶ ἐν ὑμῖν, ἀφ' ἧς ἡμέρας ἠκούσατε καὶ ἐπέγνωτε τὴν χάριν τοῦ θεοῦ ἐν ἀληθείᾳ·
7 καθὼς ἐμάθετε ἀπὸ Ἐπαφρᾶ τοῦ ἀγαπητοῦ συνδούλου ἡμῶν, ὅς ἐστιν πιστὸς ὑπὲρ ἡμῶν διάκονος τοῦ Χριστοῦ,
8 ὁ καὶ δηλώσας ἡμῖν τὴν ὑμῶν ἀγάπην ἐν πνεύματι.

맛싸성경

3 우리는 우리 주님 예수 그리스도의 아버지, 하나님께 항상 너희에 대하여 기도할 때에 감사한다. 4 우리는 그리스도 예수 안에서 모든 거룩한 자들을 위한 너희 믿음과 사랑을 들었으니, 5 하늘(들)에 너희를 위하여 쌓아둔 소망을 인함이며, 복음의 진리의 말씀 안에서 너희가 이전에 들었던 것으로 6 너희에게 임하여 온 것이니 이같이 모든 세상 안에서 열매를 맺었고, 또 자라났으니, 이같이 그리고 너희 가운데서 진리 안에서 하나님의 은혜를 너희가 듣고 또한 정확히 알게 된 날 들부터이다. 7 이같이 너희는 우리와 같이 종된 사랑하는 에파프라로부터 배웠으니, 곧 그는 우리를 위한 그리스도의 신실한 일꾼이다. 8 그리고 또한 그는 우리에게 성령 안에서 너희 사랑을 우리에게 알린 자이다.

NET

3 We always give thanks to God, the Father of our Lord Jesus Christ, when we pray for you, 4 since we heard about your faith in Christ Jesus and the love that you have for all the saints. 5 Your faith and love have arisen from the hope laid up for you in heaven, which you have heard about in the message of truth, the gospel 6 that has come to you. Just as in the entire world this gospel is bearing fruit and growing, so it has also been bearing fruit and growing among you from the first day you heard it and understood the grace of God in truth. 7 You learned the gospel from Epaphras, our dear fellow slave—a faithful minister of Christ on our behalf— 8 who also told us of your love in the Spirit.

1 Westcott-Hort Greek NT

9 Διὰ τοῦτο καὶ ἡμεῖς, ἀφ' ἧς ἡμέρας ἠκούσαμεν, οὐ παυόμεθα ὑπὲρ ὑμῶν προσευχόμενοι καὶ αἰτούμενοι, ἵνα πληρωθῆτε τὴν ἐπίγνωσιν τοῦ θελήματος αὐτοῦ ἐν πάσῃ σοφίᾳ καὶ συνέσει πνευματικῇ,
10 περιπατῆσαι ἀξίως τοῦ κυρίου εἰς πᾶσαν ἀρεσκείαν, ἐν παντὶ ἔργῳ ἀγαθῷ καρποφοροῦντες καὶ αὐξανόμενοι τῇ επιγνώσει τοῦ θεοῦ,

맛싸성경

9 이런 이유로 또한 우리가 들었던 날부터, 너희를 위하여 기도하고 간구하기를 쉬지 아니하였으니, 그리하여 모든 지혜와 영적인 이해력(통찰력) 안에서 너희로 그분의 뜻의 지식으로 너희가 가득 차게 하려 함이니, 10 그리하여 너희로 그리스도에 합당하도록(가치있게) 살도록 하여 모든 것에서 기쁘시게 하며, 모든 선한 일에서 열매 맺고 그리고 하나님의 지식에 (이르도록) 자라나게 함이다.

NET

9 For this reason we also, from the day we heard about you, have not ceased praying for you and asking God to fill you with the knowledge of his will in all spiritual wisdom and understanding, 10 so that you may live worthily of the Lord and please him in all respects—bearing fruit in every good deed, growing in the knowledge of God,

1 Westcott-Hort Greek NT

11 ἐν πάσῃ δυνάμει δυναμούμενοι κατὰ τὸ κράτος τῆς δόξης αὐτοῦ εἰς πᾶσαν ὑπομονὴν καὶ μακροθυμίαν. μετὰ χαρᾶς.

12 εὐχαριστοῦντες τῷ πατρὶ τῷ ἱκανώσαντι ὑμᾶς εἰς τὴν μερίδα τοῦ κλήρου τῶν ἁγίων ἐν τῷ φωτί·

13 ὃς ἐρρύσατο ἡμᾶς ἐκ τῆς ἐξουσίας τοῦ σκότους καὶ μετέστησεν εἰς τὴν βασιλείαν τοῦ υἱοῦ τῆς ἀγάπης αὐτοῦ,

14 ἐν ᾧ ἔχομεν τὴν ἀπολύτρωσιν, τὴν ἄφεσιν τῶν ἁμαρτιῶν·

맛싸성경

11 그분의 영광의 주권을 따라서 그의 모든 능력으로 강건해지고, 기쁨과 함께 모든 인내와 오래 참음에 이르고, 12 빛 가운데 거룩한 자들의 상속의 할당을 위하여 우리에게 자격을 주신 아버지께 감사하노니, 13 그분이 우리를 어두움의 권세에서부터 구원하셨으며 또한 그의 사랑의 아들의 왕국을 위하여 옮기셨으며, 14 그분 안에서 우리가 속전함을 가졌으니, 죄들의 용서함이다.

NET

11 being strengthened with all power according to his glorious might for the display of all patience and steadfastness, joyfully 12 giving thanks to the Father who has qualified you to share in the saints' inheritance in the light. 13 He delivered us from the power of darkness and transferred us to the kingdom of the Son he loves, 14 in whom we have redemption, the forgiveness of sins.

1 Westcott-Hort Greek NT

15 ὅς ἐστιν εἰκὼν τοῦ θεοῦ τοῦ ἀοράτου, πρωτότοκος πάσης κτίσεως,
16 ὅτι ἐν αὐτῷ ἐκτίσθη τὰ πάντα ἐν τοῖς οὐρανοῖς καὶ ἐπὶ τῆς γῆς τὰ ὁρατὰ καὶ τὰ ἀόρατα, εἴτε θρόνοι εἴτε κυριότητες εἴτε ἄρχαι εἴτε ἐξουσίαι· τὰ πάντα δι' αὐτοῦ καὶ εἰς αὐτὸν ἔκτισται·

맛싸성경

15 그분은 보이지 않는 하나님의 형상이시며, 모든 피조물의 처음 나신 자이다. **16** 또 그 안에서 모든 것들이 창조되어졌으니, 하늘(들)과 땅에서 보이는 것과 보이지 않는 것들이며, 군주들이나, 주인들이나, 통치자들이나, 권세자들이다. 모든 것들이 그를 통하여 그리고 그를 위하여 창조되었다.

NET

15 He is the image of the invisible God, the firstborn over all creation, **16** for all things in heaven and on earth were created in him—all things, whether visible or invisible, whether thrones or dominions, whether principalities or powers—all things were created through him and for him.

1 Westcott-Hort Greek NT

17 καὶ αὐτός ἐστιν πρὸ πάντων καὶ τὰ πάντα ἐν αὐτῷ συνέστηκεν,
18 καὶ αὐτός ἐστιν ἡ κεφαλὴ τοῦ σώματος τῆς ἐκκλησίας· ὅς ἐστιν [ἡ] ἀρχή, πρωτότοκος ἐκ τῶν νεκρῶν, ἵνα γένηται ἐν πᾶσιν αὐτὸς πρωτεύων,
19 ὅτι ἐν αὐτῷ εὐδόκησεν πᾶν τὸ πλήρωμα κατοικῆσαι.
20 καὶ δι' αὐτοῦ ἀποκαταλλάξαι τὰ πάντα εἰς αὐτὸν εἰρηνοποιήσας διὰ τοῦ αἵματος τοῦ σταυροῦ αὐτοῦ, [δι' αὐτοῦ] εἴτε τὰ ἐπὶ τῆς γῆς εἴτε τὰ ἐν τοῖς οὐρανοῖς.

맛싸성경

17 또한 그분, 자신은 모든 것들 전에 계셨고 또한 모든 것들이 그 안에서 존재하게 되었다. 18 그리고 그분, 자신이 교회의 몸의 머리이시다. 그분이 처음이시며, 죽은 자들에서부터 처음 나신 자이니, 모든 것에서(만물에서) 그분이 첫째가 되게 하려 함이다. 19 또 그분 안에서(아버지께서) 충만하심이 거하기를 기뻐하셨으니, 20 그를 통하여 모든 것들을 그를 위하여 화해하게 하시며, 그의 십자가의 피를 통하여 화목하게 하셨으니 (그를 통하여), 땅에 있는 것이거나, 하늘(들)에 있는 것들이다.

NET

17 He himself is before all things, and all things are held together in him. 18 He is the head of the body, the church, as well as the beginning, the firstborn from the dead, so that he himself may become first in all things. 19 For God was pleased to have all his fullness dwell in the Son 20 and through him to reconcile all things to himself by making peace through the blood of his cross—through him, whether things on earth or things in heaven.

1 Westcott-Hort Greek NT

21 Καὶ ὑμᾶς ποτε ὄντας ἀπηλλοτριωμένους καὶ ἐχθροὺς τῇ διανοίᾳ ἐν τοῖς ἔργοις τοῖς πονηροῖς,

22 νυνὶ δὲ ἀποκατήλλαξεν ἐν τῷ σώματι τῆς σαρκὸς αὐτοῦ διὰ τοῦ θανάτου παραστῆσαι ὑμᾶς ἁγίους καὶ ἀμώμους καὶ ἀνεγκλήτους κατενώπιον αὐτοῦ,

23 εἴ γε ἐπιμένετε τῇ πίστει τεθεμελιωμένοι καὶ ἑδραῖοι καὶ μὴ μετακινούμενοι ἀπὸ τῆς ἐλπίδος τοῦ εὐαγγελίου οὗ ἠκούσατε, τοῦ κηρυχθέντος ἐν πάσῃ κτίσει τῇ ὑπὸ τὸν οὐρανόν, οὗ ἐγενόμην ἐγὼ Παῦλος διάκονος.

맛싸성경

21 그리고 너희는 전에는 분리되어져 있었으며 악한 행동들로 생각으로는 원수들이었으나, **22** 그러나 이제는 그의 육체의 몸으로 그의 죽으심을 통하여 화해하셔서 그분 앞에서 우리를 거룩하고 흠이 없도록 드려서, 책망할 것이 없게 하셨다. **23** 만일 너희가 참으로 믿음에 계속 있어서, 기초를 내리고, 확고해져서 너희가 들었던 복음의 소망에서부터 움직이지 않아야 할 것이니, (복음은) 하늘 아래서 모든 피조물에서 선포되어진 것으로, 그것을 위하여(복음) 나 바울은 일꾼이 되었다.

NET

21 And you were at one time strangers and enemies in your minds as expressed through your evil deeds, **22** but now he has reconciled you by his physical body through death to present you holy, without blemish, and blameless before him— **23** if indeed you remain in the faith, established and firm, without shifting from the hope of the gospel that you heard. This gospel has also been preached in all creation under heaven, and I, Paul, have become its servant.

1 Westcott-Hort Greek NT

24 Νῦν χαίρω ἐν τοῖς παθήμασιν ὑπὲρ ὑμῶν καὶ ἀνταναπληρῶ τὰ ὑστερήματα τῶν θλίψεων τοῦ Χριστοῦ ἐν τῇ σαρκί μου ὑπὲρ τοῦ σώματος αὐτοῦ, ὅ ἐστιν ἡ ἐκκλησία,

25 ἧς ἐγενόμην ἐγὼ διάκονος κατὰ τὴν οἰκονομίαν τοῦ θεοῦ τὴν δοθεῖσαν μοι εἰς ὑμᾶς πληρῶσαι τὸν λόγον τοῦ θεοῦ,

26 τὸ μυστήριον τὸ ἀποκεκρυμμένον ἀπὸ τῶν αἰώνων καὶ ἀπὸ τῶν γενεῶν -νῦν δὲ ἐφανερώθη τοῖς ἁγίοις αὐτοῦ,

맛싸성경

24 이제 나는 너희를 위한 고난들을 기뻐하고, 그리스도의 환난의 더 필요한 것들을 그분의 육체를 위하여 내 육체에서 채우니, 곧 (그 육체는) 교회이다. **25** 그것을(교회를) 위하여 나는 일꾼, 너희를 위하여 나에게 주신 하나님의 직분을 따른 것으로 하나님의 말씀을 성취하려 함이다. **26** 이것은 오랜 전부터 그리고 그 세대에서부터 감춰졌던 신비이니, 그러나 이제는 그의 거룩한 자들(성도들)에게 나타나졌다.

NET

24 Now I rejoice in my sufferings for you, and I fill up in my physical body—for the sake of his body, the church—what is lacking in the sufferings of Christ. **25** I became a servant of the church according to the stewardship from God—given to me for you—in order to complete the word of God, **26** that is, the mystery that has been kept hidden from ages and generations, but has now been revealed to his saints.

1 Westcott-Hort Greek NT

27 οἷς ἠθέλησεν ὁ θεὸς γνωρίσαι τί τὸ πλοῦτος τῆς δόξης τοῦ μυστηρίου τούτου ἐν τοῖς ἔθνεσιν, ὅ ἐστιν Χριστὸς ἐν ὑμῖν ἡ ἐλπὶς τῆς δόξης·
28 ὃν ἡμεῖς καταγγέλλομεν νουθετοῦντες πάντα ἄνθρωπον καὶ διδάσκοντες πάντα ἄνθρωπον ἐν πάσῃ σοφίᾳ, ἵνα παραστήσωμεν πάντα ἄνθρωπον τέλειον ἐν Χριστῷ·
29 εἰς ὃ καὶ κοπιῶ ἀγωνιζόμενος κατὰ τὴν ἐνέργειαν αὐτοῦ τὴν ενεργουμένην ἐν ἐμοὶ ἐν δυνάμει.

맛싸성경

27 하나님이 이 신비의 영광의 부요함이 무엇인지 이방인들에게 알게 하기를 원하셨으니, 그분은 너희 안에 그리스도이시며, 영광의 소망이시다. **28** 우리가 그분을 선포하고 모든 사람들을 훈계하며 또 모든 사람들을 모든 지혜로 가르치니, 우리가 모든 사람들을 그리스도 안에서 온전한 사람으로 모든 자로 세우려 함이다. **29** 이 (일을) 위하여 나도 수고하며, 내 속에서 능력으로 일하시는 그분의 사역을 따라서 노력한다.

NET

27 God wanted to make known to them the glorious riches of this mystery among the Gentiles, which is Christ in you, the hope of glory. **28** We proclaim him by instructing and teaching all people with all wisdom so that we may present every person mature in Christ. **29** Toward this goal I also labor, struggling according to his power that powerfully works in me.

2 Westcott-Hort Greek NT

1 Θέλω γὰρ ὑμᾶς εἰδέναι ἡλίκον ἀγῶνα ἔχω ὑπὲρ ὑμῶν καὶ τῶν ἐν Λαοδικείᾳ καὶ ὅσοι οὐχ ἑόρακαν τὸ πρόσωπον μου ἐν σαρκί,
2 ἵνα παρακληθῶσιν αἱ καρδίαι αὐτῶν συμβιβασθέντες ἐν ἀγάπῃ καὶ εἰς πᾶν πλοῦτος τῆς πληροφορίας τῆς συνέσεως εἰς ἐπίγνωσιν τοῦ μυστηρίου τοῦ θεοῦ, Χριστοῦ,
3 ἐν ᾧ εἰσιν πάντες οἱ θησαυροὶ τῆς σοφίας καὶ γνωσέως ἀπόκρυφοι.
4 Τοῦτο λέγω, ἵνα μηδεὶς ὑμᾶς παραλογίζηται ἐν πιθανολογίᾳ.
5 εἰ γὰρ καὶ τῇ σαρκὶ ἄπειμι, ἀλλὰ τῷ πνεύματι σὺν ὑμῖν εἰμι, χαίρων καὶ βλέπων ὑμῶν τὴν τάξιν καὶ τὸ στερέωμα τῆς εἰς Χριστὸν πίστεως ὑμῶν.

맛싸성경

1 이러므로 내가 너희와 또 라오디게아에 있는 자들을 위하여 얼마나 큰 노력을 하는지 너희가 알기를 원하니, 또 육체로 내 얼굴을 보지 못한 자들도 그러하다. 2 그래서 그들의 마음들이 위로받게 하며, 사랑 안에서 함께 연합하고, 그리고 이해의 확신의 모든 충만함까지 하나님의 신비의 지식까지 (이르리니) 곧 그리스도이시다. 3 그분 안에 모든 지혜와 지식의 보배들이 숨겨져 있다. 4 이것을 말하니, 아무도 너희를 그럴듯한 주장으로 너희를 속이지 못하게 하려 함이다. 5 이는 만일 육체로 내가 떠나 있어도, 그러나 영으로 내가 너희와 함께 있어서 너희 계열과 그리스도 안에서 너희 믿음의 확고함을 기뻐하고 또 본다.

NET

1 For I want you to know how great a struggle I have for you, and for those in Laodicea, and for those who have not met me face to face. 2 My goal is that their hearts, having been knit together in love, may be encouraged, and that they may have all the riches that assurance brings in their understanding of the knowledge of the mystery of God, namely, Christ, 3 in whom are hidden all the treasures of wisdom and knowledge. 4 I say this so that no one will deceive you through arguments that sound reasonable. 5 For though I am absent from you in body, I am present with you in spirit, rejoicing to see your morale and the firmness of your faith in Christ.

2 Westcott-Hort Greek NT

6 Ὡς οὖν παρελάβετε τὸν Χριστὸν Ἰησοῦν τὸν κύριον, ἐν αὐτῷ περιπατεῖτε,

7 ἐρριζωμένοι καὶ ἐποικοδομούμενοι ἐν αὐτῷ καὶ βεβαιούμενοι τῇ πίστει καθὼς ἐδιδάχθητε, περισσεύοντες [ἐν αὐτῇ] ἐν εὐχαριστίᾳ.

8 βλέπετε μή τις ὑμᾶς ἔσται ὁ συλαγωγῶν διὰ τῆς φιλοσοφίας καὶ κενῆς ἀπάτης κατὰ τὴν παράδοσιν τῶν ἀνθρώπων κατὰ τὰ στοιχεῖα τοῦ κοσμοῦ καὶ οὐ κατὰ Χριστόν·

9 ὅτι ἐν αὐτῷ κατοικεῖ πᾶν τὸ πλήρωμα τῆς θεότητος σωματικῶς,

10 καὶ ἐστὲ ἐν αὐτῷ πεπληρωμένοι, ὅς ἐστιν ἡ κεφαλὴ πάσης ἀρχῆς καὶ ἐξουσίας.

맛싸성경

6 그러므로 너희가 예수 그리스도를 주님으로 받아들였으니, 그 안에서 걸으며, 7 뿌리가 내려지고, 그 안에서 세워지며, 너희가 배운 것 같이 믿음으로 확고해지며, 감사로 풍성하여라. 8 어떤 자도 너희를 철학과 공허한 속임수를 통하여 잡아가지 않도록 조심할 것이니, (이것들은) 사람들의 전통과 세상의 초보원리들을 따른 것이지 그리스도를 따른 것이 아니다. 9 그 안에 신의 속성의 충만함인 모든 것이 육체로 거하신다. 10 그리고 그 안에서 너희도 완전하여졌으니, 그분은 모든 통치자와 권위의 머리이시다.

NET

6 Therefore, just as you received Christ Jesus as Lord, continue to live your lives in him, 7 rooted and built up in him and firm in your faith just as you were taught, and overflowing with thankfulness. 8 Be careful not to allow anyone to captivate you through an empty, deceitful philosophy that is according to human traditions and the elemental spirits of the world, and not according to Christ. 9 For in him all the fullness of deity lives in bodily form, 10 and you have been filled in him, who is the head over every ruler and authority.

2 Westcott-Hort Greek NT

11 ἐν ᾧ καὶ περιετμήθητε περιτομῇ ἀχειροποιήτῳ ἐν τῇ ἀπεκδύσει τοῦ σώματος τῆς σαρκός, ἐν τῇ περιτομῇ τοῦ Χριστοῦ,
12 συνταφέντες αὐτῷ ἐν τῷ βαπτίσματι, ἐν ᾧ καὶ συνηγέρθητε διὰ τῆς πίστεως τῆς ἐνεργείας τοῦ θεοῦ τοῦ ἐγείραντος αὐτὸν ἐκ νεκρῶν·
13 καὶ ὑμᾶς νεκροὺς ὄντας τοῖς παραπτώμασιν καὶ τῇ ἀκροβυστίᾳ τῆς σαρκὸς ὑμῶν συνεζωοποίησεν ὑμᾶς σὺν αὐτῷ, χαρισάμενος ἡμῖν πάντα τὰ παραπτώματα.
14 ἐξαλείψας τὸ καθ' ἡμῶν χειρόγραφον τοῖς δόγμασιν ὃ ἦν ὑπεναντίον ἡμῖν καὶ αὐτὸ ἦρκεν ἐκ τοῦ μέσου προσηλώσας αὐτὸ τῷ σταυρῷ·
15 ἀπεκδυσάμενος τὰς ἀρχὰς καὶ τὰς ἐξουσίας ἐδειγμάτισεν ἐν παρρησίᾳ θριαμβεύσας αὐτοὺς ἐν αὐτῷ.

맛싸성경

11 그 안에서 너희가 사람의 손이 아닌 할례를 행하였고, 육신의 (죄의) 몸을 제거함으로 하였으니, 그리스도의 할례함 안에서이다. 12 세례로 그분과 함께 장사되었고, 그리고 죽은 자들에서부터 그분을 일으키신 하나님의 사역 안에서, 믿음을 통하여 그분과 함께 일으켜졌다. 13 너희는 범죄와 너희 육체의 무할례로 죽었으나, 그분이 그분과 함께 너희를 같이(함께) 살게 하셨으니, 너희 모든 범죄들에서 용서함을 받았으며, 14 우리에 대항하는 속박을 제거하셨으니, 그것은 우리를 대적하는 요구들로 또 그분이 그것을 그 가운데서부터 들어내시고, 또 그분이 그것을 십자가에 못 박았다. 15 통치자와 권위들을 벗겨 내시고, 공적으로 드러내셔서, 그 분 안에서 그들로 승리하게 하셨다.

NET

11 In him you also were circumcised—not, however, with a circumcision performed by human hands, but by the removal of the fleshly body, that is, through the circumcision done by Christ. 12 Having been buried with him in baptism, you also have been raised with him through your faith in the power of God who raised him from the dead. 13 And even though you were dead in your transgressions and in the uncircumcision of your flesh, he nevertheless made you alive with him, having forgiven all your transgressions. 14 He has destroyed what was against us, a certificate of indebtedness expressed in decrees opposed to us. He has taken it away by nailing it to the cross. 15 Disarming the rulers and authorities, he has made a public disgrace of them, triumphing over them by the cross.

16 Μὴ οὖν τις ὑμᾶς κρινέτω ἐν βρώσει καὶ ἐν πόσει ἢ ἐν μέρει ἑορτῆς ἢ νεομηνίας ἢ σαββάτων·

17 ἅ ἐστιν σκιὰ τῶν μελλόντων, τὸ δὲ σῶμα τοῦ Χριστοῦ.

18 μηδεὶς ὑμᾶς καταβραβευέτω θέλων ἐν ταπεινοφροσύνῃ καὶ θρησκείᾳ τῶν ἀγγέλων, ἃ ἑόρακεν ἐμβατεύων, εἰκῇ φυσιούμενος ὑπὸ τοῦ νοὸς τῆς σαρκὸς αὐτοῦ,

19 καὶ οὐ κρατῶν τὴν κεφαλήν, ἐξ οὗ πᾶν τὸ σῶμα διὰ τῶν ἀφῶν καὶ συνδέσμων ἐπιχορηγούμενον καὶ συμβιβαζόμενον αὔξει τὴν αὔξησιν τοῦ θεοῦ.

맛싸성경

16 그러므로 아무도 너희를 음식으로나, 마시는 것으로 판단하지 못하게 하니 곧 절기의 문제인, 초하루나, 안식일이다. **17** 이것들은 다가올 것의 그림자이며, 그러나 실체는 그리스도에게 속하였다. **18** 아무도 너희의 상을 빼앗지 않게 할 것이니, 겸손함과 천사들의 숭배를 원하는 자들로, 곧 그가 본 것으로 들어온 자이며, 그의 육체의 생각에 의해서 이유 없이 (그들은) 자만해졌다. **19** 그리고 머리를 붙잡지 않았으니, 그것에서(머리)부터 모든 몸이 인대와 힘줄을 통해서 공급함을 받고 그리고 함께 연합해서, 하나님의 성장까지 성장한다.

NET

16 Therefore do not let anyone judge you with respect to food or drink, or in the matter of a feast, new moon, or Sabbath days— **17** these are only the shadow of the things to come, but the reality is Christ! **18** Let no one who delights in false humility and the worship of angels pass judgment on you. That person goes on at great lengths about what he has supposedly seen, but he is puffed up with empty notions by his fleshly mind. **19** He has not held fast to the head from whom the whole body, supported and knit together through its ligaments and sinews, grows with a growth that is from God.

2 Westcott-Hort Greek NT

20 Εἰ ἀπεθάνετε σὺν Χριστῷ ἀπὸ τῶν στοιχείων τοῦ κοσμοῦ, τί ὡς ζῶντες ἐν κοσμῷ δογματίζεσθε;.

21 μὴ ἅψῃ μηδὲ γεύσῃ μηδὲ θίγῃς,

22 ἅ ἐστιν πάντα εἰς φθορὰν τῇ ἀποχρήσει, κατὰ τὰ ἐντάλματα καὶ διδασκαλίας τῶν ἀνθρώπων,

23 ἅτινα ἐστιν λόγον μὲν ἔχοντα σοφίας ἐν ἐθελοθρησκίᾳ καὶ ταπεινοφροσύνῃ [καὶ] ἀφειδίᾳ σώματος, οὐκ ἐν τιμῇ τινι πρὸς πλησμονὴν τῆς σαρκός.

맛싸성경

20 만일 너희가 세상의 초보원리들로부터 그리스도와 함께 죽었다면, 어째서 세상안에서 살 것 같이 하여, 규례를 따르려 하느냐? 21 붙잡지도 말고, 맛보지도 말며, 손대지도 마라. 22 모든 것들은 사용되고 파괴될 것이니, 사람의 교훈들과 가르침들을 따른 것이다. 23 모든 것들은 자기가 만든 종교, 비하, 몸의 자학 같은 것으로 지혜를 가지고 있는 것 같은 일이지만, 육체의 방종에 대해서 어떤 가치도 없다.

NET

20 If you have died with Christ to the elemental spirits of the world, why do you submit to them as though you lived in the world? **21** "Do not handle! Do not taste! Do not touch!" **22** These are all destined to perish with use, founded as they are on human commands and teachings. **23** Even though they have the appearance of wisdom with their self-imposed worship and humility achieved by an unsparing treatment of the body—a wisdom with no true value—they in reality result in fleshly indulgence.

3 Westcott-Hort Greek NT

1 Εἰ οὖν συνηγέρθητε τῷ Χριστῷ, τὰ ἄνω ζητεῖτε, οὗ ὁ Χριστός ἐστιν ἐν δεξιᾷ τοῦ θεοῦ καθήμενος·

2 τὰ ἄνω φρονεῖτε, μὴ τὰ ἐπὶ τῆς γῆς.

3 ἀπεθάνετε γὰρ καὶ ἡ ζωὴ ὑμῶν κέκρυπται σὺν τῷ Χριστῷ ἐν τῷ θεῷ.

4 ὅταν ὁ Χριστὸς φανερωθῇ, ἡ ζωὴ ἡμῶν, τότε καὶ ὑμεῖς σὺν αὐτῷ φανερωθήσεσθε ἐν δόξῃ.

5 Νεκρώσατε οὖν τὰ μέλη τὰ ἐπὶ τῆς γῆς πορνείαν ἀκαθαρσίαν πάθος ἐπιθυμίαν κακήν, καὶ τὴν πλεονεξίαν, ἥτις ἐστιν εἰδωλολατρία,

6 δι' ἃ ἔρχεται ἡ ὀργὴ τοῦ θεοῦ.

맛싸성경

1 그러므로 만일 너희가 그리스도와 함께 일으켜졌으면, 너희는 위의 것들을 구하라. 그곳에는 그리스도께서 하나님의 우편에 앉아 계신다. 2 위의 것들을 마음을 두고, 땅에 있는 것들에는 (마음을) 두지 마라! 3 이는 너희가 죽었고 또한 너희 생명이 하나님 안에서 그리스도와 함께 숨기워져 있기 때문이다. 4 그리스도께서 나타나실 때에너희 생명도 그때 그리고 너희는 그와 함께 영광으로 나타나질 것이다. 5 그러므로 너희는 땅에 있는 것들의 부분들을 죽여라. 음행, 부도덕, 욕정, 악한 욕망, 그리고 탐심이니, 이것은 우상숭배이다. 6 이것들을 인하여 하나님의 진노가 (불순종의 아들들에게) 임한다.

NET

1 Therefore, if you have been raised with Christ, keep seeking the things above, where Christ is, seated at the right hand of God. 2 Keep thinking about things above, not things on the earth, 3 for you have died and your life is hidden with Christ in God. 4 When Christ (who is your life) appears, then you too will be revealed in glory with him. 5 So put to death whatever in your nature belongs to the earth: sexual immorality, impurity, shameful passion, evil desire, and greed which is idolatry. 6 Because of these things the wrath of God is coming on the sons of disobedience.

3 Westcott-Hort Greek NT

7 ἐν οἷς καὶ ὑμεῖς περιεπατήσατε ποτε, ὅτε ἐζῆτε ἐν τούτοις·

8 νυνὶ δὲ ἀπόθεσθε καὶ ὑμεῖς τὰ πάντα, ὀργήν, θυμόν, κακίαν, βλασφημίαν, αἰσχρολογίαν ἐκ τοῦ στόματος ὑμῶν·

9 μὴ ψεύδεσθε εἰς ἀλλήλους, ἀπεκδυσάμενοι τὸν παλαιὸν ἄνθρωπον σὺν ταῖς πράξεσιν αὐτοῦ.

10 καὶ ἐνδυσάμενοι τὸν νέον τὸν ἀνακαινούμενον εἰς ἐπίγνωσιν κατ' εἰκόνα τοῦ κτίσαντος αὐτόν,

11 ὅπου οὐκ ἔνι Ἕλλην καὶ Ἰουδαῖος, περιτομὴ καὶ ἀκροβυστία, βάρβαρος, Σκύθης, δοῦλος, ἐλεύθερος, ἀλλὰ πάντα καὶ ἐν πᾶσιν Χριστός.

맛싸성경

7 그것들 안에서 또한 너희가 전에 걸었으니, 너희가 그것들 안에서 살았다. **8** 그러나 이제는 너희가 모든 것들을 내려놓았으니, 노, 분노, 사악함, 중상모략, 너희 입에서부터 (나오는) 악한 말이다. **9** 너희는 서로 거짓말하지 말고, 그의 행위와 함께 옛 사람을 벗어버리고, **10** 그리고 새(사람) 것을 입을 것이니, (곧) 그를 창조하신 형상을 따라서 지식을 위하여 새롭게 된 자이다. **11** 거기는 헬라인이나, 유대인 안에 (차별이 없으며), 할례파, 무할례파, 야만인, 스구티안, 종, 자유자가 (차별이 없으니), 그러나 모든 것들이 그리고 모든 것들 안에 그리스도는 계신다.

NET

7 You also lived your lives in this way at one time, when you used to live among them. **8** But now, put off all such things as anger, rage, malice, slander, abusive language from your mouth. **9** Do not lie to one another since you have put off the old man with its practices **10** and have been clothed with the new man that is being renewed in knowledge according to the image of the one who created it. **11** Here there is neither Greek nor Jew, circumcised or uncircumcised, barbarian, Scythian, slave or free, but Christ is all and in all.

3 Westcott-Hort Greek NT

12 Ἐνδύσασθε οὖν, ὡς ἐκλεκτοὶ τοῦ θεοῦ ἅγιοι καὶ ἠγαπημένοι, σπλάγχνα οἰκτιρμοῦ χρηστότητα ταπεινοφροσύνην πραΰτητα μακροθυμίαν,
13 ἀνεχόμενοι ἀλλήλων καὶ χαριζόμενοι ἑαυτοῖς ἐάν τις πρὸς τινα ἔχῃ μομφήν· καθὼς καὶ ὁ κύριος ἐχαρίσατο ὑμῖν, οὕτως καὶ ὑμεῖς·
14 ἐπὶ πᾶσιν δὲ τούτοις τὴν ἀγάπην, ὅ ἐστιν σύνδεσμος τῆς τελειότητος.

맛싸성경

12 그러므로 거룩하고 사랑받은 자들아! 하나님의 선택함을 입은 자들 같이, 애정, 긍휼과 선함과 겸손, 온유, 오래 참음을 입을 것이니, 13 만일 서로 비난(할 일) 이 있어도 서로 참아주고, 용서하며, 주께서 너희를 용서하신 것과 같이 또한 너희도 그렇게 하라. 14 그러나 이 모든 것들에 사랑이 있게 할 것이니, 이것은 온전하게 하는 끈이다.

NET

12 Therefore, as the elect of God, holy and dearly loved, clothe yourselves with a heart of mercy, kindness, humility, gentleness, and patience, 13 bearing with one another and forgiving one another, if someone happens to have a complaint against anyone else. Just as the Lord has forgiven you, so you also forgive others. 14 And to all these virtues add love, which is the perfect bond.

3 Westcott-Hort Greek NT

15 καὶ ἡ εἰρήνη τοῦ Χριστοῦ βραβευέτω ἐν ταῖς καρδίαις ὑμῶν, εἰς ἣν καὶ ἐκλήθητε ἐν [ἑνὶ] σώματι· καὶ εὐχάριστοι γίνεσθε.
16 ὁ λόγος τοῦ Χριστοῦ ἐνοικείτω ἐν ὑμῖν πλουσίως, ἐν πάσῃ σοφίᾳ διδάσκοντες καὶ νουθετοῦντες ἑαυτοὺς ψαλμοῖς ὕμνοις ᾠδαῖς πνευματικαῖς ἐν χάριτι ᾄδοντες ἐν ταῖς καρδίαις ὑμῶν τῷ θεῷ·
17 καὶ πᾶν ὅ τι ἐὰν ποιῆτε ἐν λόγῳ ἢ ἐν ἔργῳ, πάντα ἐν ὀνόματι κυρίου Ἰησοῦ, εὐχαριστοῦντες τῷ θεῷ πατρὶ δι' αὐτοῦ.

맛싸성경

15 또 그리스도의 평안이 너희 마음들 안에서 다스리게 할 것이니 한 몸으로 너희가 부르심을 받았다. 또 너희는 감사하는 자가 되어라. 16 그리스도의 그 말씀이 너희안에 풍성하게 거하게 하여, 모든 지혜로 가르치고 서로 권고하며, 시들, 찬송들, 영적인 노래들로 하나님께 너희 마음을 감사함으로 노래하고, 17 또 무슨 일을 하든지 말로나, 혹은 행동으로 할 때는 모든 것을 주 예수 그리스도의 이름으로 그를 통하여 아버지 하나님께 감사하라.

NET

15 Let the peace of Christ be in control in your heart (for you were in fact called as one body to this peace), and be thankful. 16 Let the word of Christ dwell in you richly, teaching and exhorting one another with all wisdom, singing psalms, hymns, and spiritual songs, all with grace in your hearts to God. 17 And whatever you do in word or deed, do it all in the name of the Lord Jesus, giving thanks to God the Father through him.

3 Westcott-Hort Greek NT

18 Αἱ γυναῖκες, ὑποτάσσεσθε τοῖς ἀνδράσιν ὡς ἀνῆκεν ἐν κυρίῳ.
19 Οἱ ἄνδρες, ἀγαπᾶτε τὰς γυναῖκας καὶ μὴ πικραίνεσθε πρὸς αὐτάς.
20 Τὰ τέκνα, ὑπακούετε τοῖς γονεῦσιν κατὰ πάντα τοῦτο γὰρ εὐάρεστον ἐστιν ἐν κυρίῳ.
21 Οἱ πατέρες μὴ ἐρεθίζετε τὰ τέκνα ὑμῶν, ἵνα μὴ ἀθυμῶσιν.
22 Οἱ δοῦλοι, ὑπακούετε κατὰ πάντα τοῖς κατὰ σάρκα κυρίοις, μὴ ἐν ὀφθαλμοδουλίαις ὡς ἀνθρωπάρεσκοι, ἀλλ' ἐν ἁπλότητι καρδίας φοβούμενοι τὸν κύριον.

맛싸성경

18 아내들아! 주 안에서 적당한 것처럼 남편들에게 복종하라. **19** 남편들아! 아내들을 사랑하고, 그들에 대하여 심하게 대하지 마라! **20** 자녀들아! 부모들에게 모든 일들에 따라서 순종해라. 이것이 주안에서 기쁘시게 하는 것이다. **21** 아비들아! 너희 자녀들을 자극하지 마라! 이는 너희로 실망하지 않게 하려 함이다. **22** 종들아! 모든 일에 네 육신의 주인들에게 순종하라. 사람만 기쁘게 하는 것 같이 눈 앞에서만 섬기지 말고, 주님을 경외함으로 마음의 진실함으로 하자.

NET

18 Wives, submit to your husbands, as is fitting in the Lord. **19** Husbands, love your wives and do not be embittered against them. **20** Children, obey your parents in everything, for this is pleasing in the Lord. **21** Fathers, do not provoke your children, so they will not become disheartened. **22** Slaves, obey your earthly masters in every respect, not only when they are watching—like those who are strictly people-pleasers—but with a sincere heart, fearing the Lord.

3 Westcott-Hort Greek NT

23 ὃ ἐὰν ποιῆτε, ἐκ ψυχῆς ἐργάζεσθε ὡς τῷ κυρίῳ καὶ οὐκ ἀνθρώποις,
24 εἰδότες ὅτι ἀπὸ κυρίου ἀπολήμψεσθε τὴν ἀνταπόδοσιν τῆς κληρονομίας. τῷ κυρίῳ Χριστῷ δουλεύετε·
25 ὁ γὰρ ἀδικῶν κομίσεται ὃ ἠδίκησεν, καὶ οὐκ ἔστιν προσωπολημψία.

맛싸성경

23 또한 네가 무엇을 하든지, 주님에게 같이 네 진심에서부터 너는 일하고, 또한 사람들에게 하듯 하지 마라! **24** 유산의 보상을 주님께로부터 받을 것을 안다. 이는 주님 그리스도께 너희가 섬기는 것이다. **25** 그러나 누구든지 잘못하는 자는 그가 잘못한 것으로 얻을 것이니, 그래서 그분은 편견이 없으시다.

NET

23 Whatever you are doing, work at it with enthusiasm, as to the Lord and not for people, **24** because you know that you will receive your inheritance from the Lord as the reward. Serve the Lord Christ. **25** For the one who does wrong will be repaid for his wrong, and there are no exceptions.

4 Westcott-Hort Greek NT

1 Οἱ κύριοι, τὸ δίκαιον καὶ τὴν ἰσότητα τοῖς δούλοις παρέχεσθε, εἰδότες ὅτι καὶ ὑμεῖς ἔχετε κύριον ἐν οὐρανῷ.

2 Τῇ προσευχῇ προσκαρτερεῖτε, γρηγοροῦντες ἐν αὐτῇ ἐν εὐχαριστίᾳ,

3 προσευχόμενοι ἅμα καὶ περὶ ἡμῶν ἵνα ὁ θεὸς ἀνοίξῃ ἡμῖν θύραν τοῦ λόγου λαλῆσαι τὸ μυστήριον τοῦ Χριστοῦ, δι' ὃ καὶ δέδεμαι,

4 ἵνα φανερώσω αὐτὸ ὡς δεῖ με λαλῆσαι.

맛싸성경

1 주인들아! 종들에게 의로움과 공평함을 보여줄 것이니, 너희도 하늘에서 주님을 모시고(가지고) 있는 것을 알아라. **2** 기도에 몰두하고, 그것에 감사함으로 깨어 있으며, **3** 동시에 우리에 대해서 기도할 것이니, 그래서 하나님은 말씀의 문을 우리에게 여셔서 그리스도의 신비를 말씀하실 것이니, 내가 그것을 위하여 갇혀져 있어왔다. **4** 그래서 내가 말하는 것 같이 내가 이 것을 나타낼 것이라.

NET

1 Masters, treat your slaves with justice and fairness, because you know that you also have a master in heaven. **2** Be devoted to prayer, keeping alert in it with thanksgiving. **3** At the same time pray for us too, that God may open a door for the message so that we may proclaim the mystery of Christ, for which I am in chains. **4** Pray that I may make it known as I should.

4 Westcott-Hort Greek NT

5 Ἐν σοφίᾳ περιπατεῖτε πρὸς τοὺς ἔξω τὸν καιρὸν ἐξαγοραζόμενοι.
6 ὁ λόγος ὑμῶν πάντοτε ἐν χάριτι ἅλατι ἠρτυμένος, εἰδέναι πῶς δεῖ ὑμᾶς ἑνὶ ἑκάστῳ ἀποκρίνεσθαι.

맛싸성경

5 너희는 바깥 사람들을 대하여 지혜롭게 걸으며, 시간을 최대한 활용하라. 6 너희 말을 항상 은혜로 소금을 친 것 같이 할 것이니, 너희가 각 사람에게 어떻게 대답해야 할 지 알 것이라.

NET

5 Conduct yourselves with wisdom toward outsiders, making the most of the opportunities. 6 Let your speech always be gracious, seasoned with salt, so that you may know how you should answer everyone.

4 Westcott-Hort Greek NT

7 Τὰ κατ' ἐμὲ πάντα γνωρίσει ὑμῖν Τύχικος ὁ ἀγαπητὸς ἀδελφὸς καὶ πιστὸς διάκονος καὶ σύνδουλος ἐν κυρίῳ,
8 ὃν ἔπεμψα πρὸς ὑμᾶς εἰς αὐτὸ τοῦτο, ἵνα γνῶτε τὰ περὶ ἡμῶν καὶ παρακαλέσῃ τὰς καρδίας ὑμῶν,
9 σὺν Ὀνησίμῳ τῷ πιστῷ καὶ ἀγαπητῷ ἀδελφῷ, ὅς ἐστιν ἐξ ὑμῶν· πάντα ὑμῖν γνωρίσουσιν τὰ ὧδε.

맛싸성경

7 나의 모든 것에 대해서, 내 사랑하는 형제이며 또 신실한 일꾼과 주 안에서 같은 종인 두기고가 너희에게 알게 할 것이니, **8** 그를 내가 너희에게 이 일을 위해서 보냈고, 그래서 너희로 우리에 대한 것들을 알게 하며, 또 그로 너희 마음을 위로하려 함이다. **9** 신실하고 사랑받는 형제 오네시모와 함께 (보내니) 그는 너희에게서부터 나온 자이다. 그들이 이곳에서 (일어난) 것들을 모두 너희에게 알게 할 것이다.

NET

7 Tychicus, a dear brother, faithful minister, and fellow slave in the Lord, will tell you all the news about me. **8** I sent him to you for this very purpose that you may know how we are doing and that he may encourage your hearts. **9** I sent him with Onesimus, the faithful and dear brother, who is one of you. They will tell you about everything here.

4 Westcott-Hort Greek NT

10 Ἀσπάζεται ὑμᾶς Ἀρίσταρχος ὁ συναιχμάλωτός μου καὶ Μᾶρκος ὁ ἀνεψιὸς Βαρναβᾶ (περὶ οὗ ἐλάβετε ἐντολάς, ἐὰν ἔλθῃ πρὸς ὑμᾶς, δέξασθε αὐτόν).
11 καὶ Ἰησοῦς ὁ λεγόμενος Ἰοῦστος, οἱ ὄντες ἐκ περιτομῆς, οὗτοι μόνοι συνεργοὶ εἰς τὴν βασιλείαν τοῦ θεοῦ, οἵτινες ἐγενήθησαν μοι παρηγορία.
12 ἀσπάζεται ὑμᾶς Ἐπαφρᾶς ὁ ἐξ ὑμῶν δοῦλος Χριστοῦ Ἰησοῦ, πάντοτε ἀγωνιζόμενος ὑπὲρ ὑμῶν ἐν ταῖς προσευχαῖς, ἵνα σταθῆτε τέλειοι καὶ πεπληροφορημένοι ἐν παντὶ θελήματι τοῦ θεοῦ.

맛싸성경

10 나와 함께 갇힌 자, 아리스다고와 바나바의 조카 마가가 문안한다. 그(마가)는 명령들을 받았으니 만일 그가 너희에게 가면, 그를 영접하라. 11 또한 유스도라고 불리는 예수도 있으니, 이들은 할례파들에서 난 자들이다. 이들은 하나님의 왕국을 위한 동역자들이며, 그들은 나에게 위로가 되었다. 12 너희에게서부터 나온 그리스도(예수)의 종인 에파프라도 문안하니, 기도들 가운데 너희를 위하여 항상 힘쓰며, 그리하여 너희가 온전한 자들로 서게 하고, 하나님의 모든 뜻 안에서 완전히 확신하도록 하게 함이다.

NET

10 Aristarchus, my fellow prisoner, sends you greetings, as does Mark, the cousin of Barnabas (about whom you received instructions; if he comes to you, welcome him). 11 And Jesus who is called Justus also sends greetings. In terms of Jewish converts, these are the only fellow workers for the kingdom of God, and they have been a comfort to me. 12 Epaphras, who is one of you and a slave of Christ, greets you. He is always struggling in prayer on your behalf, so that you may stand mature and fully assured in all the will of God.

4 Westcott-Hort Greek NT

13 μαρτυρῶ γὰρ αὐτῷ ὅτι ἔχει πολὺν πόνον ὑπὲρ ὑμῶν καὶ τῶν ἐν Λαοδικείᾳ καὶ τῶν ἐν Ἱεραπόλει.
14 ἀσπάζεται ὑμᾶς Λουκᾶς ὁ ἰατρὸς ὁ ἀγαπητὸς καὶ Δημᾶς.
15 Ἀσπάσασθε τοὺς ἐν Λαοδικείᾳ ἀδελφοὺς καὶ Νύμφαν καὶ τὴν κατ' οἶκον αὐτῆς ἐκκλησίαν.

맛싸성경

13 이는 내가 그를 위하여 증거하였으니 그가 많은 수고를 너희를 위하여 그리고 라오디게아와 히에라폴리스 안에 있는 자들을 위하여 하였다. 14 사랑받는 의사 누가와 데마도 너희에게 문안한다. 15 너희는 라오디게아에 있는 형제들과 또한 눔바와 그 여자 집에 있는 교회에게 문안하라.

NET

13 For I can testify that he has worked hard for you and for those in Laodicea and Hierapolis. 14 Our dear friend Luke the physician and Demas greet you. 15 Give my greetings to the brothers and sisters who are in Laodicea and to Nympha and the church that meets in her house.

4 Westcott-Hort Greek NT

16 καὶ ὅταν ἀναγνωσθῇ παρ' ὑμῖν ἡ ἐπιστολή ποιήσατε ἵνα καὶ ἐν τῇ Λαοδικέων ἐκκλησίᾳ ἀναγνωσθῇ, καὶ τὴν ἐκ Λαοδικείας ἵνα καὶ ὑμεῖς ἀναγνῶτε.
17 καὶ εἴπατε Ἀρχίππῳ· Βλέπε τὴν διακονίαν ἣν παρέλαβες ἐν κυρίῳ, ἵνα αὐτὴν πληροῖς.
18 Ὁ ἀσπασμὸς τῇ ἐμῇ χειρὶ Παύλου. μνημονεύετέ μου τῶν δεσμῶν. ἡ χάρις μεθ' ὑμῶν.

맛싸성경

16 그리고 이 편지가 너희 앞에서 낭독해진 후에 또한 라오디게아 교회에서도 낭독해지게 하고 또 라오디게아에서부터 온 것도 또한 너희는 낭독하라. 17 또 아킵보에게 너희는 말하라. 주 안에서 받은 사역을 주의하여, 그래서 너는 그것을 완수하라. 18 (이것은) 나, 바울의 내 손으로(직접) 하는 문안이다. 나의 갇힘을 너희는 기억하라. 은혜가 너희와 함께 (있을지어다).

NET

16 And after you have read this letter, have it read to the church of Laodicea. In turn, read the letter from Laodicea as well. 17 And tell Archippus, "See to it that you complete the ministry you received in the Lord." 18 I, Paul, write this greeting by my own hand. Remember my chains. Grace be with you.

COVENANT UNIVERSITY
Fulfilling the unfulfilled task through equipping missional servant leaders for Christ

목회자를 위한 설교학 석,박사 통합 과정 소개

1. 수업 진행

1) 월간 맛싸 31-33호를 듣기
2) 각권에 따라 원하는 본문을 원문에 근거하여 설교문을 작성하고 먼저 제출하기
3) 먼저 제출된 설교문을 컨설팅하고 완성된 설교문으로 설교하는 동영상(30분)을 촬영하여 제출하기

2. 수강 과목

1) 월간 맛싸 31호 13학점

(1) 요나(1-9회차) 2학점 - 설교 2편 작성 제출
(2) 요엘(10-21회차) 2학점 - 설교 2편 작성 제출
(3) 학개(22-28회차) 2학점 - 설교 2편 작성 제출
(4) 말라기(29-38회차) 2학점 - 설교 2편 작성 제출
(5) 오바댜(39-41회차) 1학점 - 설교 1편 작성 제출
(6) 하박국(42-51회차) 2학점 - 설교 2편 작성 제출
(7) 스바냐(52-61회차) 2학점 - 설교 2편 작성 제출

2) 맛싸 32호 13학점

(1) 시편 119편(1-22회차) 2학점 - 설교 2편 작성 제출
(2) 시편 120-134편(올라가는 노래)(23-38회차) 6학점 - 설교 6편 작성 제출
(3) 시편 135-150편(39-61회차) 5학점 - 설교 5편 작성 제출

3) 맛싸 33호 13학점

(1) 룻기 (1-13회) 3학점 - 설교 3편 작성 제출
(2) 에스더 (14-48회) 3학점 - 설교 3편 작성 제출
(3) 시편 101-106편(49-62회) 3학점 - 설교 3편 작성 제출
(4) 신약 자유 본문(월간맛싸QT 내용중) 4학점 - 설교 4편 작성 제출

4) 논문 6학점 혹은 신약 자유 본문 6학점

(1) 논문 작성시 - 6학점
(2) 신약 자유 본문(월간맛싸QT 내용중) 6학점 - 설교 6편 작성 제출

3. 학비

2023년 가을학기 (8/28-12/9일까지 15주)
입학자격-학사 및 목회학 석사(Mdiv) 이상 졸업자(M.A 졸업자는 가능)
신학 석사(ThM) 45학점; 박사(DTh) 54학점; 석박사 통합 39+54=93학점
한학기 15학점; 석사 190만원; 박사 286만원
이번학기 송금처 언약성경연구소(Covenant Bible Institution)
농협 355-4696-1189-93 공식구좌

성경 원문을 공부해서 자격증 혹은 정식 학위도 받을 수 있는 기회

Covenant University -http://covenantunversity.us

카버넌트 대학은 미국 캘리포니아의 대학교로 학사, 석사, 박사 학위를 수여할 수 있는 학교입니다. 국제기독대학 협의회 즉 사립 종교대학 공인 기관(ACSI, Num. 107355)이며 또한 통신으로도 공부를 할 수 있는 미국통신고등교육연합협의회(USDLA) 정식 멤버의 학교입니다. 또한 캘리포니아 주 교육국 코드(CEC 4739b 6)및 학교인가번호 1924981과 연방등록번호 33-081445에 따라 설립된 기독교 대학입니다. 장점은 한국에서 자신의 생활을 하면서 통신으로 공부와 과정을 다 마칠 수 있는 것이 장점입니다. 참고로 이 대학은 Stanton University 캠퍼스 대학교(WASC)와 같은 재단에서 운영하는 대학이기도 합니다. 그리고 한국의 월간 맛싸-언약성경협회, 연구소와 MOU를 맺어서 성경원문으로 학위를 주는 과정입니다. 원문성경으로만 공부하는 것은 세계최초의 일입니다. (그럼에도 혹 ATS, AHBC, TRACS등의 자격을 필요로 하는 분들은 미국 현지에 유학 가서 거주하면서 공부하는 코스로 하시기 바랍니다.)

월간 맛싸(원문성경 전문지)와 연계한 학위과정

31호-13학점; 32호 14학점; 33호 13학점; 34호 12학점-현재까지 52학점 개설
(선지서; 시가서; 역사서; 신약-바울서신)

2023년 가을학기 (8/28-12/9일까지 15주)
입학자격-학사이상 국제 정식학위 소지자
신학 석사(ThM) 45학점; 박사(DTh) 54학점; 석박사 통합 39+54=93학점
한학기 15학점; 석사 190만원; 박사 286만원
이번 학기 송금처 언약성경연구소(Covenant Bible Institution)
농협 355-4696-1189-93

ver.2

번역- 이학재

152x224mm / 2,192쪽 / ~~99,000원~~ ⇨ 89,000원

편찬위원장 박정곤
편찬자문전문위원
구약학(손석태, 이원재, 이동관, 권혁관, 최윤갑, 김경식)
신약학(노영근, 이일호, 배종열)
조직신학(이신열) / 실천신학(김종윤)

맛싸 성경은 신구약 전부를 원문에서 번역한 성경입니다.
그리고 번역의 근거인 원문도 중요한 부분에서 괄호에 넣었습니다.
번역자는 고신 목사, 교수 21년 경험과 또한 바른 성경 경력 15년을 통하여
가진 노하우가 접목되었습니다.

맛싸 성경은 무엇이 다를까요? 아래의 것들이 다릅니다.

1. 맛싸 성경은 원문을 표준으로 하였습니다.
2. 맛싸 성경 신약은 원문의 단어, 구조를 보게 해 줍니다(엡 5:18-21)
3. 맛싸 성경은 21년간의 신학적 작업의 정리입니다(신학적 연구 강의 후 정리)
4. 원문의 운율과 원문의 강조점을 최대한 살렸습니다.
5. 맛싸 성경은 신약의 비잔틴 본문도 보게 합니다.
   - 없음 논란을 잠재우고 종교개혁자들의 본문 신약은 비잔틴을 기본으로 하였습니다(참조 요일 5장 7절).
6. 단어 의미 간략한 사전도 성경 자체에서 볼 수 있습니다.
7. 맛싸 성경은 한글을 통해서 원문을 공부하는 데 도움을 줍니다.
8. 성경 아람어등 어려운 언어를 쉽게 한글로 이해하게 합니다. 따라서 맛싸 성경을 보아야 원문 확인 용이합니다.

<맛싸성경 버전2> 발간!

주문- 우체국 301622-02-000668 (Hakjae Lee)
송금 후 010-5796-0691로 이름, 전화번호, 받으실 주소를 문자로
보내시면 출판부에서 배송합니다.

월간 맛싸

왕초보 히브리어/헬라어 펜습자

알파벳 따라쓰기

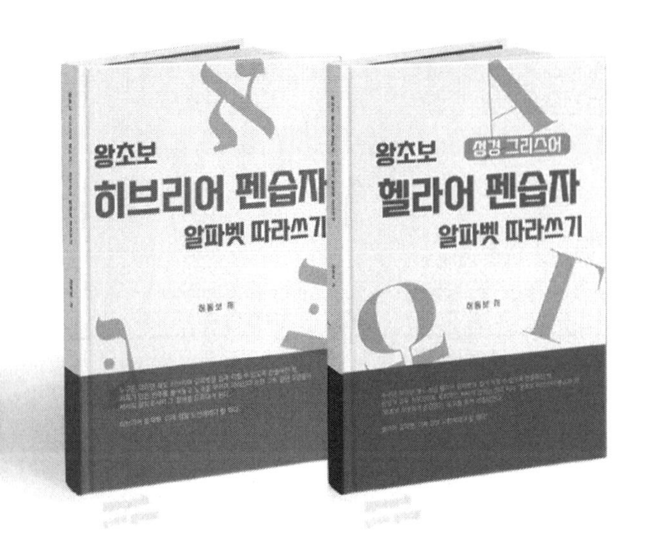

저자 – 허동보

수현교회 담임목사
AP부모교육 국제지도자
왕초보 히브리어/헬라어 성경읽기 강사
Covenant University, CA. 통합과정 중

히브리어/헬라어, 어렵지 않습니다.
단지 익숙하지 않을 뿐입니다.

모든 언어는 문법보다 더욱 중요한 것이 있습니다. 바로 읽고 쓰는 것입니다.

기본에 충실합니다.

이 책은 단순합니다. 다른 알파벳 교재와 달리 읽고 쓰는 것에만 집중했습니다. 쓰는 순서, 자음과 모음의 발음, 읽는 방법 등 정말 기본적이고 기초적인 것에 집중을 했습니다.

남녀노소 누구나 할 수 있습니다.

모든 언어는 왕도가 없습니다. 처음에 말과 글을 배울 때 복잡한 문법부터 공부하는 사람은 없습니다. 이 책은 어린이, 청소년을 비롯하여 히브리어/헬라어에 관심만 있다면 모든 연령이 쉽게 배울 수 있도록 집필되었습니다.

다양한 미디어로 공부가 가능합니다.

책 속에는 노트가 더 필요한 분들이 직접 인쇄할 수있도록 QR코드를 제공하고 있습니다. 히브리어 알파벳송은 따라부를 수 있도록 영상 QR코드를 제공합니다. 그 외 다양한 미디어 학습을 체험하실 수있습니다.

월간 맛싸의 발전과 함께 하실 동역자님을 모십니다.

✓ 평생이사: 월10만원 혹은 연200만원 일시불 / 후원이사: 연10만원

✓ 후원특전: 월간 맛싸와 언약성경연구소 발행 신간을 보내 드리며,
세미나와 본사 발전회의에 초대됩니다.

✓ 후원계좌: 농협 302-1258-5603-71 (예금주: LEE HAKJAE)

✓ 정기구독: 1년 6회 90,000원 / 2년 12회: 150,000원

✓ 정기구독 문의 및 안내: 070-4126-3496

정기구독신청서

20 년 월 일

신청인	이 름		생년월일			
	주 소					
	전화 자 택	( ) -	출석교회			
	전화 회 사	( ) -	직 분	담임목사 / 목사 / 전도사 / 장로 / 권사 / 집사		
	전화 핸드폰	( ) -	E-mail	@		
수취인	이 름					
	주 소					
	전화(자택)		회 사		핸드폰	
신청내용	신청기간	20 년 월 ~ 20 년 월				
	구독기간	☐ 1년 ☐ 2년 ☐ 3년				
	신청부수	부				
결제방법	카 드	· 카드종류: 국민, 비씨, 신한, 삼성, 롯데, 현대, 농협, 씨티, VISA, Master, JCB				
		· 카드번호: - - -		· 유효기간: /		
		· 소유주:		· 일시불/할부 개월		
	온라인					
	자동이체	CMS				
메모						

정기구독 문의 및 안내 070-4126-3496

월간 맛싸